LEVEL2

3

333 영어

도서 구성

333 영어는 3개 레벨, 90일의 커리큘럼으로 구성되어 있습니다.
밝고 통통 튀는 조정현 선생님의 강의와 함께 학습을 진행하시면 됩니다.

Level 1

단어를 외우는 것만으로 자연스럽게 말하기는 어렵습니다. 외운 단어들이 어떤 상황에서 어떤 뉘앙스로 사용되는지를 정확히 알아야 비로소 말이 술술 나오게 됩니다. Level 1에서는 내가 아는 단어로 쉽게 말할 수 있는 문장들로 구성하여, 실생활에서 바로 사용할 수 있는 영어 회화 능력을 키울 수 있습니다.

Level 2

다 아는 단어인데 뜻이 전혀 다른 관용적 표현들이 있습니다. 이런 표현들만 잘 사용해도, 수준 높은 영어 회화가 가능합니다. Level 2는 다양한 관용적 표현을 활용해 쉽게 영어 수준을 높일 수 있는 문장들로 구성되어 있습니다.

Level 3

Level 3에서 소개하는 문장 30개만 잘 사용해도 영어 회화는 문제없습니다. 문장을 통째로 외우기는 쉽지 않지만, 외워야 할 때는 외워야 하죠. 효율적으로 외우면 부담도 훨씬 덜할 텐데요. Level 3는 사용 빈도가 높은 가성비 좋은 문장들을 선정하여, 영어 회화를 충분히 구사할 수 있도록 구성되어 있습니다.

목차

21 내 손바닥 안이야. 8p

22 갈 길이 멀다. 12p

23 졸음을 참을 수 없어. 16p

24 제 짐 좀 봐주세요. 20p

25 너무 바빴어. 24p

26 퇴근합시다. 28p

27 그는 입이 짧아. 32p

28 원 플러스 원 36p

29 모 아니면 도 40p

30 차였어. 44p

학습 방법

하루 3번, 각각의 다른 3가지 단계로 학습할 수 있도록 구성되어 있습니다.

아침

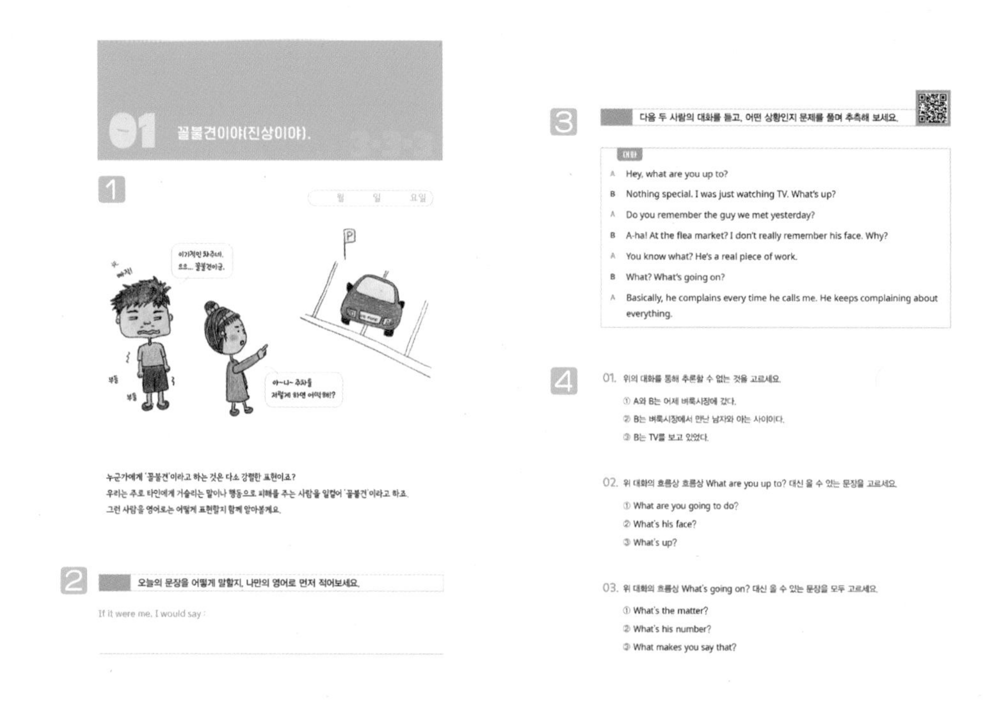

01 꼴불견이야(진상이야).

1

월 일 요일

누군가에게 '꼴불견'이라고 하는 것은 다소 강렬한 표현이죠?
우리는 주로 타인에게 거슬리는 말이나 행동으로 피해를 주는 사람을 일컬어 '꼴불견'이라고 하죠.
그런 사람을 영어로는 어떻게 표현할지 함께 알아볼게요.

2 오늘의 문장을 어떻게 말할지, 나만의 영어로 먼저 적어보세요.

If it were me, I would say :

3 다음 두 사람의 대화를 듣고, 어떤 상황인지 문제를 풀며 추측해 보세요.

대화

A Hey, what are you up to?
B Nothing special. I was just watching TV. What's up?
A Do you remember the guy we met yesterday?
B A-ha! At the flea market? I don't really remember his face. Why?
A You know what? He's a real piece of work.
B What? What's going on?
A Basically, he complains every time he calls me. He keeps complaining about everything.

4

01. 위의 대화를 통해 추론할 수 없는 것을 고르세요.
① A와 B는 어제 벼룩시장에 갔다.
② B는 벼룩시장에서 만난 남자와 아는 사이이다.
③ B는 TV를 보고 있었다.

02. 위 대화의 흐름상 흐름상 What are you up to? 대신 올 수 있는 문장을 고르세요.
① What are you going to do?
② What's his face?
③ What's up?

03. 위 대화의 흐름상 What's going on? 대신 올 수 있는 문장을 모두 고르세요.
① What's the matter?
② What's his number?
③ What makes you say that?

1 오늘의 상황을 그림으로 이해하고, 오늘의 표현을 우리말로 먼저 확인합니다.

2 나라면 이 상황에서 어떻게 영어로 말할 수 있을지, 내가 아는 영어로 나만의 문장을 적어 봅니다.

3 오늘의 대화를 통해 오늘 배울 표현이 어떻게 쓰였는지 대화 속 영어 문장을 통해 확인합니다.
QR코드를 통해 원어민의 음성을 듣고, 발음과 억양도 꼭 확인하세요.

4 대화 속 상황을 잘 이해하였는지, 문제를 풀어보면서 확인합니다.

점심

5 오늘의 필수 어휘 및 표현을 확인해 보세요.

turn off : ~을 끄다
waste : 낭비하다 / 폐기물
switch off : 스위치를 끄다
ensure : 확실히 하다, 보장하다
appliance : (가정용) 기기

6 필수 어휘와 표현을 이용하여, 우리말에 맞게 영어 문장을 완성해 보세요.

01 Did you the heater ?
난방기 껐어요?

02 Please make sure all the mobile phones are during the exam.
시험 중에 반드시 모든 휴대폰 전원을 꺼 주세요.

03 We need to buy some office .
우린 사무용 기기들을 좀 사야해요.

저녁

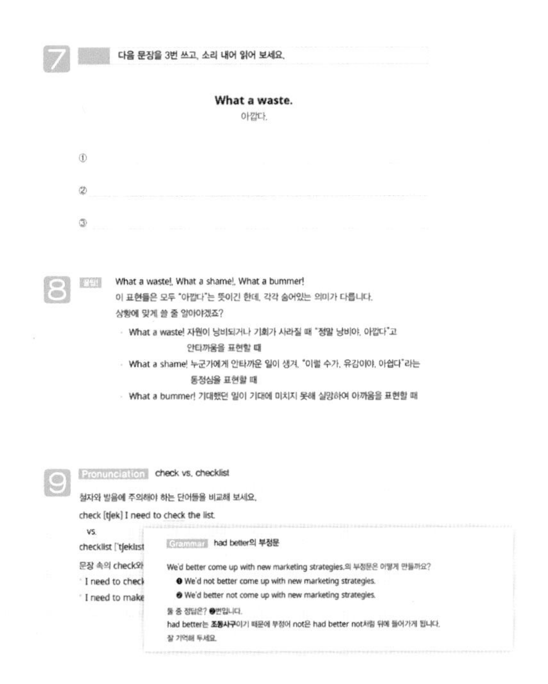

7 다음 문장을 3번 쓰고, 소리 내어 읽어 보세요.

What a waste.
아깝다.

①
②
③

8 What a waste!, What a shame!, What a bummer!
이 표현들은 모두 "아깝다"는 뜻이긴 한데, 각각 숨어있는 의미가 다릅니다.
상황에 맞게 쓸 줄 알아야겠죠?

- What a waste! 자원이 낭비되거나 기회가 사라질 때 "정말 낭비야, 아깝다"고 안타까움을 표현할 때
- What a shame! 누군가에게 안타까운 일이 생겨, "이럴 수가, 유감이야, 아쉽다"라는 동정심을 표현할 때
- What a bummer! 기대했던 일이 기대에 미치지 못해 실망하여 아까움을 표현할 때

9 Pronunciation check vs. checklist

철자와 발음에 주의해야 하는 단어들을 비교해 보세요.
check [tʃek] I need to check the list.
vs.
checklist [ˈtʃeklɪst
문장 속의 check와
I need to check
I need to make

Grammar had better의 부정문

We'd better come up with new marketing strategies.의 부정문은 어떻게 만들까요?
❶ We'd not better come up with new marketing strategies.
❷ We'd better not come up with new marketing strategies.
둘 중 정답은? ❷번입니다.
had better는 **조동사구**이기 때문에 부정어 not은 had better not처럼 뒤에 들어가게 됩니다.
잘 기억해 두세요.

5 대화에서 등장한 필수 어휘와 표현을 확인해 보세요. 문장에서 쓰인 표현을 우리말로 확인해봅니다.

6 필수 어휘와 표현을 잘 이해하였는지, 문제를 통해 정확한 사용법을 익힙니다. 수, 시제, 인칭 등의 변화에 주의하면서 문제를 풀어봅니다.

7 오늘의 문장은 꼭 소리내서 읽고, 3번 써보세요. 눈으로, 손으로, 입으로 익히는 시간이 됩니다.

8 알아두면 좋은 꿀팁을 정리하였습니다. 아~ 이런 표현도 있구나! 하고 확인해두면 좋을 것 같아요.

9 차시를 마무리하며, 영어 발음에 도움이 되는 Useful Expressions 혹은 문법을 간단하고 쉽게 이해할 수 있도록 Grammar 등 다양한 코너를 준비하였습니다. 유용한 정보를 확인하며 학습을 마무리해 보세요.

학습 캘린더

학습을 마친 후, 학습 결과에 맞게 색칠해 보세요. 복습이 필요한 곳은 잊지 말고 복습을 진행해 주세요.

10 Days Study Calender

년 월 일

· 아침 학습

· 점심 학습

· 저녁 학습

영어 문장

우리말 뜻

년 월 일

· 아침 학습

· 점심 학습

· 저녁 학습

영어 문장

우리말 뜻

년 월 일

· 아침 학습

· 점심 학습

· 저녁 학습

영어 문장

우리말 뜻

년 월 일

· 아침 학습

· 점심 학습

· 저녁 학습

영어 문장

우리말 뜻

년 월 일

· 아침 학습

· 점심 학습

· 저녁 학습

영어 문장

우리말 뜻

년 월 일

· 아침 학습
· 점심 학습
· 저녁 학습

영어 문장

우리말 뜻

년 월 일

· 아침 학습
· 점심 학습
· 저녁 학습

영어 문장

우리말 뜻

년 월 일

· 아침 학습
· 점심 학습
· 저녁 학습

영어 문장

우리말 뜻

년 월 일

· 아침 학습
· 점심 학습
· 저녁 학습

영어 문장

우리말 뜻

년 월 일

· 아침 학습
· 점심 학습
· 저녁 학습

영어 문장

우리말 뜻

웃는 얼굴 : 확실히 알아요.

보통 얼굴 : 어느 정도 이해했어요.

찡그린 얼굴 : 복습이 필요해요.

21 내 손바닥 안이야.

3·3·3

월 일 요일

상대방의 속이 훤히 보이는 상황이 있죠? 친한 친구 사이나 가족일 경우 더욱 그럴 수 있죠.
그럴 때, "내 손바닥 안이다."라는 말을 할 때가 있습니다.
과연 영어로도 그런 표현이 있는지 알아볼까요?

오늘의 문장을 어떻게 말할지, 나만의 영어로 먼저 적어보세요.

If it were me, I would say :

다음 두 사람의 대화를 듣고, 어떤 상황인지 문제를 풀며 추측해 보세요.

대화

A What are you doing now?

B I'm just checking out the latest news.

A With my phone?

B It's just... that your phone is close to me.

A Well, well, well. I'm onto you. I know what you're up to.

B No, no, I was just curious about the headlines.

A Okay, I hear you. But next time, ask before you touch my phone.

01. B는 지금 무엇을 만지고 있나요?

① 휴대폰

② 태블릿

③ 노트북 컴퓨터

02. A가 I know what you're up to.라고 말한 이유는 무엇일까요?

① B가 뉴스를 보고 있어서

② B의 다른 속셈을 알아서

③ B의 휴대폰이 없어서

03. 대화의 마지막 부분에 I hear you.는 무슨 의미일까요?

① 네 말 잘 들린다.

② 내 말 잘 알겠어?

③ 그래, 알겠어.

오늘의 필수 어휘 및 표현을 확인해 보세요.

- check out : 확인하다, 살펴보다
- latest : 최근의
- close to : ~에 가까운
- curious about : ~에 대해 궁금한
- headline : 주요 뉴스들

필수 어휘와 표현을 이용하여, 우리말에 맞게 영어 문장을 완성해 보세요.

01. I'm just ________ ________ the latest news.

난 그냥 최신 뉴스를 확인하고 있었어.

02. Your phone is ________ to me.

당신 휴대폰이 나에게 가까이 있어.

03. I was just ________ ________ the headlines.

난 그냥 헤드라인이 궁금했었어.

다음 문장을 3번 쓰고, 소리 내어 읽어 보세요.

I'm onto you.

내 손바닥 안이야.

①

②

③

꿀팁! I'm onto you. 내 손바닥 안이야.

우리 말에도, "머리 꼭대기에 있다"는 말이 있듯이, 영어로 I'm onto you.가 매우 근접한 말입니다. 물론 더 직접적으로는 이렇게도 말해요.

- You're in my hand.
- You're in the palm of my hand.

또한 I know what you're up to. "난 네 꿍꿍이를 알아."라는 뜻으로 비슷하게 쓸 수 있습니다.

Comparison of words check out의 활용

문장 속의 'check out'의 의미를 정확히 파악해 볼까요?

* We should **check out** of the room by 11. 우리 11시까지 방을 비워야 해.
* Where can I **check out** a book? 책은 어디서 빌릴 수 있나요?
* I'm going to **check out** the prices at the store. 가게에서 가격 좀 확인해 볼게.

22 갈 길이 멀다.

월 일 요일

새해 목표 잘 이루고 계신가요?
이처럼 우리는 년 초, 달 초, 매일 아침마다 큰 목표부터 구체적인 세부 목표를 정합니다.
그런데 그 목표에 가까이 가고 있는지는 잘 와닿지 않을 때가 있는데요.
그럴 때, "갈 길이 멀다"는 말을 하게 됩니다. 영어 표현도 궁금한데요, 함께 알아볼까요?

오늘의 문장을 어떻게 말할지, 나만의 영어로 먼저 적어보세요.

If it were me, I would say :

다음 두 사람의 대화를 듣고, 어떤 상황인지 문제를 풀며 추측해 보세요.

대화

A I feel like I'm stuck in a rut.

B Really? I feel you. I've been thinking a lot about my career lately.

A It feels like I'm miles away from my goals.

B True. I feel like I'm not moving forward.

A Exactly! I know I just need to keep pushing forward, though.

B It's a long way to go.

A I believe we'll get there after all.

01. A와 B는 지금 어떤 상태인가요?

① 의견충돌

② 포기

③ 공감

02. 대화의 내용을 토대로 알 수 없는 것은?

① A는 결국 목표를 이뤘다.

② A는 막막함을 느낀다.

③ A와 B는 꿋꿋하게 나아갈 것이다.

03. A와 B가 이야기를 나누고 있는 공통 주제로 가장 적절한 것은?

① career

② friendship

③ travel

오늘의 필수 어휘 및 표현을 확인해 보세요.

- career : 직업, 경력
- miles away : 몇 마일이나 떨어져
- lately: 최근에, 얼마 전에
- move forward : 전진하다
- after all : 결국에는

필수 어휘와 표현을 이용하여, 우리말에 맞게 영어 문장을 완성해 보세요.

01. I ____________ like I'm ____________ in a rut.

난 막막한 느낌이 들어.

02. It feels like I'm ____________ ____________ from my goals.

목표에서 멀리 떨어져 있는 느낌이야.

03. I believe we'll get there ____________ ____________.

결국엔 목적지에 도착할 거라 믿어.

다음 문장을 3번 쓰고, 소리 내어 읽어 보세요.

It's a long way to go.

갈 길이 멀다.

①

②

③

꿀팁! It's a long way to go. 갈 길이 멀다.
영어 표현에도 우리말처럼 "길"이라는 way가 들어있죠?
같은 의미로 쓰이는 표현을 몇 가지 더 알려 드릴게요.
have 동사를 활용한 버전입니다.

- I have a long way to go.
- I've got a long way to go.

Useful Expressions 슬럼프와 관련된 표현

I feel like I'm stuck in a rut. 난 막막한 느낌이 들어.
이는 곧, 슬럼프가 온 것과도 연결되는데요, "슬럼프에 빠지다"라는 표현도 알려 드릴게요.

* I'm stuck in a rut.
  I feel stuck in a rut.
  I've been in a slump (lately).

23 졸음을 참을 수 없어.

월 일 요일

기한 내에 목표한 일을 끝마치기 위해 무리해서 진행한 적 있으신가요?
밤을 새기도 하고, 그런 날이 몇 날 며칠을 이어갈 수도 있겠죠.
건강을 챙겨야 한다는 것은 잘 알고 있지만, 상황이 그렇게 흘러가지 않을 때가 있습니다.
무리하게 일하거나 공부했을 때 나타나는 가장 큰 부작용은, '졸음'이겠죠?
"졸음을 참을 수 없어"는 영어로 어떻게 할지 생각해 보세요.

오늘의 문장을 어떻게 말할지, 나만의 영어로 먼저 적어보세요.

If it were me, I would say :

다음 두 사람의 대화를 듣고, 어떤 상황인지 문제를 풀며 추측해 보세요.

대화

A Hey, you look exhausted. Are you okay?

B Yeah, I had to burn the midnight oil last night.

A Have you been getting any sleep at all?

B Barely. There's so much to do.

A That sounds rough. But taking care of yourself is important, too.

B You're right. Now, I can't keep my eyes open.

A I understand, but don't push yourself too hard.

01. B의 상황은 어떤가요?

① angry

② sleepy

③ refreshed

02. 대화를 통해 알 수 없는 것을 고르세요.

① B는 할 일이 많다.

② A는 B의 일을 도와줬다.

③ A는 B를 타이른다.

03. 대화 중 burn the midnight oil last night을 대체할 수 있는 것을 고르세요.

① stay up all night

② sleep soundly

③ sleep well

오늘의 필수 어휘 및 표현을 확인해 보세요.

- exhausted : 기진맥진한, 고갈된
- burn : 타오르다, 태우다
- midnight : 자정, 한밤중
- rough : 거친, 힘든
- push oneself : 스스로 채찍질하다

필수 어휘와 표현을 이용하여, 우리말에 맞게 영어 문장을 완성해 보세요.

01. You look ________.

당신 굉장히 피곤해 보이네요.

02. I had to ________ the ________ oil last night.

저는 어제 밤을 새야 했어요.

03. Don't ________ ________ too hard.

당신 자신을 너무 심하게 몰아붙이진 말아요.

다음 문장을 3번 쓰고, 소리 내어 읽어 보세요.

I can't keep my eyes open.

졸음을 참을 수 없어.

①

②

③

꿀팁! 우린 '피곤한' 상태를 영어로 말하려고 할 때, I'm tired.처럼 늘 tired를 가장 먼저 떠올립니다. 그 외에도 유용한 표현들을 알려 드릴게요.

- I feel exhausted. (극도로 지친 상황)
- I'm worn out. (육체적으로 지친 상황)
- I'm burned[burnt] out. (육체적, 정신적으로 지친 상황)

Grammar keep + 목적어 + 보어(형용사) 목적어가 보어하게 하다

다양한 의미의 문장에서 활용이 가능합니다.

* I can't keep my eyes open. 졸려서 눈을 뜰 수가 없어.
* Keep me awake. 잠 좀 깨워줘.
* I'll keep my fingers crossed. 행운을 빌게.

24 제 짐 좀 봐주세요.

3·3·3

월 일 요일

줄을 서 있거나, 혹은 자리를 잡은 곳에서 잠시 화장실을 가고 싶을 때,
가지고 있는 소지품들을 다 챙겨서 가면 자리를 놓치게 되겠죠?
그래서 종종 다른 사람에게 부탁할 때가 있습니다.
영어로는 뭐라고 부탁하면 좋을까요?

오늘의 문장을 어떻게 말할지, 나만의 영어로 먼저 적어보세요.

If it were me, I would say :

다음 두 사람의 대화를 듣고, 어떤 상황인지 문제를 풀며 추측해 보세요.

대화

A Excuse me, can I ask you a favor?

B Yeah. Can I help you with something?

A Thanks. Can you keep an eye on my bag while I go to the restroom?

B No problem.

A (A came back) Thanks for watching it.

B You're welcome.

A Oh, let me buy you a cup of coffee. What kind of coffee do you like?

01. A는 어디에 다녀왔나요?

① bedroom

② café

③ toilet

02. 대화를 통해 알 수 없는 것을 고르세요.

① A와 B는 친구사이다.

② A에겐 가방이 있다.

③ A는 B에게 보답을 해주고 싶어한다.

03. 대화 중 Thanks for watching it.에서 it이 가리키는 것을 고르세요.

① lap top

② wallet

③ bag

오늘의 필수 어휘 및 표현을 확인해 보세요.

- excuse : 봐주다, 용서하다
- help you with : 당신에게 ~을 도와주다
- keep : 유지하다, 계속하다
- restroom : (공공장소의) 화장실
- what kind of : 어떤 종류의 ~

필수 어휘와 표현을 이용하여, 우리말에 맞게 영어 문장을 완성해 보세요.

01. Can I ____________ you ____________ something?

제가 뭘 좀 도와드릴까요?

02. Can you ____________ an ____________ on my bag?

제 가방 좀 봐주시겠어요?

03. What ____________ ____________ coffee do you like?

어떤 종류의 커피를 좋아하시나요?

다음 문장을 3번 쓰고, 소리 내어 읽어 보세요.

Please keep an eye on my bag.

제 짐 좀 봐주세요.

①

②

③

꿀팁! Please keep an eye on my bag. 외에 또 다른 표현들도 알아볼까요?
watch라는 동사를 이용해서 의미를 쉽게 전달할 수 있어요.

- Could you **watch** my stuff (for a minute)?
- Please **watch** my seat.

Useful Expressions What kind of 어떤 종류의 ~

What kind of coffee do you like? 어떤 종류의 커피를 좋아하시나요?
이 중에서 What kind of ~라는 부분을 더 활용해 보려고 합니다.

* **What kind of** music do you like? 어떤 음악을 좋아하나요?

* **What kind of** animals do you like? 어떤 동물을 좋아하나요?

* **What kind of** cars do you have? 어떤 자동차를 가지고 있나요?

이렇게 일상에서 자주 쓰이겠죠?

25 너무 바빴어.

3·3·3

월 일 요일

하루하루 매일을 정신없이 보낼 때가 있습니다.
바쁜 것은 좋은 것이지만, 균형을 잃지 않도록 주의해야겠지요?
이번엔 정신없이 분주하게 보내고 있는 상황을 적절하게 나타내는 표현을 알아볼게요.

오늘의 문장을 어떻게 말할지, 나만의 영어로 먼저 적어보세요.

If it were me, I would say :

다음 두 사람의 대화를 듣고, 어떤 상황인지 문제를 풀며 추측해 보세요.

대화

A Hey, Emily, how was your day?

B It's been a hectic day. I've been running around all day.

A I can relate to it. Sometimes I wish there were two of me.

B Tell me about it.

A Well, at least it's almost over.

B How about having dinner at a nice restaurant after work?

A That sounds like a fantastic idea.

01. B는 요즘 어떤 상태인가요?

① busy

② lazy

③ calm

02. Sometimes I wish there were two of me.를 정확히 해석한 것을 고르세요.

① 가끔은 너랑 나랑 똑같은 것 같아.

② 가끔은 내가 두 명이면 좋겠어.

③ 언젠가는 내가 두 명이 될 수 있으면 좋겠어.

03. A가 I can relate to it.라고 말한 이유는 무엇일까요?

① A도 달리기를 좋아해서

② A도 정신없이 바쁠 때가 있어서

③ A는 공감이 안돼서

오늘의 필수 어휘 및 표현을 확인해 보세요.

- hectic : 정신없이 바쁜, 빡빡한
- run around : 분주하게 보내다
- relate : 관련시키다
- at least : 적어도
- have dinner : 저녁식사를 하다[만찬을 들다]

필수 어휘와 표현을 이용하여, 우리말에 맞게 영어 문장을 완성해 보세요.

01. It's been a ____________ ____________.

정신없이 바빴던 날이었어.

02. I've been ____________ ____________ all day.

종일 분주하게 보냈어.

03. ____________ ____________ it's almost over.

적어도 그건 거의 끝났어.

다음 문장을 3번 쓰고, 소리 내어 읽어 보세요.

It's been a hectic day.

너무 바빴어.

①

②

③

꿀팁! "너무 바쁘다"라는 표현도 매우 다양합니다.

- I've been too busy.
- My hands are full.
- My plate is full.

이처럼 재밌는 표현들을 많이 활용해 보세요.

Useful Expressions 외식과 관련된 표현

How about having dinner at a nice restaurant? 멋진 레스토랑에서 저녁 먹는 건 어때?

대화 중에 살펴본 문장인데요, 이 외에 외식하자는 표현도 좀 더 알아볼게요.

* Shall we eat out? 우리 외식할까?
* How about eating out for a change? 기분전환 삼아 외식할까?
* Let's go out for dinner tonight. 오늘 저녁에 외식하러 나가자.

26 퇴근합시다.

월 일 요일

보람차게 열심히 하루를 보내고, "오늘 일정 끝!", "퇴근하자"는 말은 늘 설렘을 주죠.
공부하는 학생이든, 직장인이든, 그 누구든 열심히 일한 후, 하루를 정리하는 순간은 보람찰 겁니다.
이렇게 설렘을 주는 말을 영어로 해도 과연 설렐지 함께 알아볼까요?

오늘의 문장을 어떻게 말할지, 나만의 영어로 먼저 적어보세요.

If it were me, I would say :

다음 두 사람의 대화를 듣고, 어떤 상황인지 문제를 풀며 추측해 보세요.

대화

A I think we've made some good progress on the project.

B Yeah, definitely. Now I'm feeling a bit burnt out.

A Agreed. Let's call it a day.

B Yeah, I think we've covered all the crucial points for now.

A Right. Let's do the rest of it tomorrow.

B Sounds like a plan.

A Thanks for your hard work today. See you tomorrow.

01. A와 B의 관계로 가장 적절한 것을 고르세요.

① family

② coworker

③ couple

02. I think we've covered all the crucial points for now.를 정확히 해석한 것을 고르세요.

① 일단은 모든 중요한 사항들은 다 다룬 것 같아요.

② 일단 부수적인 부분들은 모두 다룬 것 같아요.

③ 일단 불필요한 부분들은 모두 없앤 것 같아요.

03. B가 Sounds like a plan.을 대체할 수 없는 문장을 고르세요.

① Sounds like a good deal.

② Sound like a good idea.

③ Sounds like a dream.

오늘의 필수 어휘 및 표현을 확인해 보세요.

- progress : 진척
- project : 프로젝트
- crucial : 중대한
- for now : 우선은, 현재로는, 일단은
- the rest of : ~의 나머지

필수 어휘와 표현을 이용하여, 우리말에 맞게 영어 문장을 완성해 보세요.

01. We've made some good ____________ on the ____________.

우린 프로젝트에서 좋은 진전을 좀 이루었다.

02. We've ____________ all the ____________ points.

우린 모든 중요한 점들을 다루었다.

03. Let's do the ____________ ____________ it tomorrow.

그것의 나머지 부분은 내일 합시다.

다음 문장을 3번 쓰고, 소리 내어 읽어 보세요.

Let's call it a day.

퇴근합시다.

①

②

③

꿀팁! '퇴근'에 관련된 표현을 추가로 알아볼게요.

Let's call it a day.가 잘 생각나지 않을 땐,
간단하고 쉽게 Let's go home.이라고 말할 수 있어요.
또는 Let's get off work.도 좋아요 .

Useful Expressions cover의 다양한 의미

cover의 의미를 세분화해 볼까요?

* 동사 덮다, 가리다

예 Let me **cover** it. 내가 뚜껑 덮을게.

* 명사 덮개

예 Just keep **cover** on tight. 뚜껑 잘 닫아놔.

* 명사 가수의 노래 커버

예 Laura sang a **cover** of Norah Jones' song. 로라는 노라 존스의 노래를 커버했다.

그런데 오늘 본문에서처럼, We've **covered** all the crucial points for now. 동사로 "다루다"는 의미로도 활용할 수 있어요.

27 그는 입이 짧아.

3·3·3

월 일 요일

저는 음식 먹는 것을 참 좋아라 합니다. 세상엔 맛있는 음식이 너무 많은 것 같다는 생각도 해요. 음식을 좋아하는 사람이라면, 많이 먹기도 쉽죠?
반면에, 소식가도 있는데요. "입이 짧다"고 표현하기도 합니다. 그런 분들을 보면 갸우뚱하게 되면서도 부럽기도 합니다.
영어로 "입이 짧다"는 말은 어떻게 하면 좋을까요?

오늘의 문장을 어떻게 말할지, 나만의 영어로 먼저 적어보세요.

If it were me, I would say :

다음 두 사람의 대화를 듣고, 어떤 상황인지 문제를 풀며 추측해 보세요.

대화

A Did you see how little Laura ate at dinner last night?

B Yeah, she barely touched her plate.

A She eats like a bird.

B Maybe she's a picky eater.

A I'm not sure. Maybe she's on a diet.

B Ah, you're probably right. She said that last time.

A It must be hard to hold back her appetite.

01. A와 B는 Laura의 무엇에 대해 얘기하고 있나요?

① Yo-yo dieting

② new hobby

③ the amount of food

02. 대화를 통해 알 수 있는 내용을 고르세요.

① Laura는 요요가 왔다.

② A와 B는 어제 Laura와 저녁을 먹었다.

③ A와 B는 Laura를 걱정하고 있다.

03. B가 말한 Maybe she's a picky eater.을 정확히 해석한 문장을 고르세요.

① 어쩌면 그녀는 입맛이 까다로울지도 몰라.

② 어쩌면 그녀가 선택한 음식일지도 몰라.

③ 어쩌면 그녀 몸 상태가 별로일지도 몰라.

오늘의 필수 어휘 및 표현을 확인해 보세요.

- little : 작은, 소규모의 / 거의 없는
- barely : 거의 ~아니게
- picky : 까다로운
- be on a diet : 다이어트 중이다
- appetite : 식욕

필수 어휘와 표현을 이용하여, 우리말에 맞게 영어 문장을 완성해 보세요.

01. She ____________ ____________ at dinner last night.

그녀는 어제 밤 저녁을 거의 먹지 않았어요.

02. She ____________ touched her ____________.

그녀는 접시에 거의 손을 대지 않았어요.

03. It must be ____________ to hold back her ____________.

그녀의 식욕을 참는 게 분명 힘들 거야.

다음 문장을 3번 쓰고, 소리 내어 읽어 보세요.

He eats like a bird.

그는 입이 짧아.

①

②

③

꿀팁! 마치 새가 모이를 쪼아 먹듯이 깨작깨작 먹는다는 비유적 표현이에요.

또 다른 표현으로는,

- He has a small appetite.

아예 식욕이 없다면, lose one's appetite를 활용해 보세요.

- I lost my appetite.
- I've lost my appetite.

Useful Expressions picky 까다로운

구어적 표현이지만 자주 쓰이는 picky는 이처럼 "까다로운"이라는 의미로 쓰입니다.

* She's a **picky** eater. 그녀는 편식을 해.

참고로, **salty**는 무슨 뜻일까요?

짠맛을 묘사할 때도 쓰이지만 "짜증내는, 신경질적인"이라는 뜻으로도 쓰일 수 있어요.

* She's **salty**. 그녀는 짜증을 잘 내.
  You're being **salty**, right? 너 지금 짜증 내는 거지?

28 원 플러스 원

월 일 요일

익숙한 글귀죠? "1+1, 하나 사면 하나 더" 이런 팻말도 종종 볼 수 있는데요.
판매 전략이므로 당연히 영어로도 존재합니다.
과연 영어로도 1+1 (원 플러스 원)이라고 그대로 쓰일까요?
올바른 표현을 함께 알아봐요.

오늘의 문장을 어떻게 말할지, 나만의 영어로 먼저 적어보세요.

If it were me, I would say :

다음 두 사람의 대화를 듣고, 어떤 상황인지 문제를 풀며 추측해 보세요.

대화

A Good morning. I need higher amounts of caffeine today.

B How are you? You need more than usual, right?

A Actually, I have an important meeting today.

B We've got our BOGO deal on our signature lattes today.

A That's fantastic! I'll have two iced lattes, please.

B Great choice. I'll make them for you soon.

A Thanks to you, I feel good this morning.

01. A와 B가 대화하는 장소는 어디인가요?

① office

② home

③ coffee shop

02. 대화를 통해 알 수 있는 내용을 고르세요.

① A는 오늘 회의가 있다.

② B는 A를 처음 만났다.

③ 둘은 오후에 대화를 나누고 있다.

03. B가 말한 BOGO을 풀어 쓴 말로 적절한 것을 고르세요.

① Buy One Go One

② Buy One Get One Free

③ Buy One Grow One

오늘의 필수 어휘 및 표현을 확인해 보세요.

- amount: 양
- caffeine : 카페인
- usual : 평소의
- signature : 서명, 특징
- choice : 선택

필수 어휘와 표현을 이용하여, 우리말에 맞게 영어 문장을 완성해 보세요.

01. I need higher ____________ of ____________ today.

저는 오늘 카페인이 더 많이 필요해요.

02. You need ____________ than ____________, right?

평소보다 더 많이 필요하다는 거죠?

03. We've got our ____________ deal on our ____________ lattes today.

오늘 저희 시그니처 라떼 1+1 행사가 있어요.

다음 문장을 3번 쓰고, 소리 내어 읽어 보세요.

BOGO (Buy one, get one free)

1+1, 원 플러스 원

①

②

③

꿀팁! "하나 사면 하나 공짜"는 BOGO (Buy One Get One free)라는 걸 배웠는데요.
"두 개 사면 하나 공짜"는 어떻게 말할 수 있을까요? 2+1을 풀어서 쓴다면요?

- Buy 2 Get 1 (free)

그럼, "세 개 사면 하나 공짜"는요?

- Buy 3 Get 1 (free).

참고로 "공짜, 무료, 서비스"로 주어지는 것은 complimentary라는 어휘를 쓰는데요.
It's complimentary. 무료입니다.
이렇게도 연습해 보세요!

Comparison of words signature vs. sign vs. autograph

이 단어들을 잘 구분해야 해요.

* signature 명사 서명 (계약이나 계산할 때 쓰는 서명), 특징
* sign 명사 징후, 표지판
  동사 서명하다
* autograph 명사 (유명인사의) 사인
  동사 사인을 해주다

29 모 아니면 도

월 일 요일

비범함이 느껴지는 말이지 않나요? 각오를 단단히 하는 느낌도 들죠.
때로는 목표한 것을 두고 모든 걸 걸고 노력할 때도 있겠죠.
"모 아니면 도, 전부를 다 건다" 말이 당연히 영어에도 있습니다.
함께 알아볼까요?

오늘의 문장을 어떻게 말할지, 나만의 영어로 먼저 적어보세요.

If it were me, I would say :

다음 두 사람의 대화를 듣고, 어떤 상황인지 문제를 풀며 추측해 보세요.

대화

A Hey, Amelia. I heard you're considering taking that job offer.

B Yeah. To be honest, it's a great opportunity.

A But what are you hesitating about?

B Hmm... What if better offer comes from somewhere else?

A Well, well, well. You're free to imagine.

B Oh, it's supposed to be funny. I'm just kidding. I'm all in.

A That's it, right? It's all or nothing. Don't hesitate. Grab the chance.

01. A와 B의 대화 주제는 무엇인가요?

① promotion

② job offer

③ joke

02. 대화를 통해 알 수 있는 내용을 고르세요.

① Amelia는 고민 중이다.

② Amelia는 다른 곳으로부터 올 제안을 기다리고 있다.

③ Amelia는 농담을 잘한다.

03. B가 말한 It's supposed to be funny.의 정확한 의미를 고르세요.

① 웃기려고 한 말이었는데…

② 그건 농담이 아니었는데…

③ 거짓말을 할 예정이었는데…

오늘의 필수 어휘 및 표현을 확인해 보세요.

- consider : 생각하다, 고려하다
- job offer : 일자리 제의
- to be honest : 솔직히 말하면
- hesitate : 주저하다, 망설이다
- grab : 붙잡다

필수 어휘와 표현을 이용하여, 우리말에 맞게 영어 문장을 완성해 보세요.

01. I'm ________ taking that job ________.

저는 그 일자리 제의를 받아들일지 고민 중이에요.

02. ________ ________ ________, it's a great opportunity.

솔직히 말하면, 그건 아주 좋은 기회야.

03. ________ the ________.

기회를 잡아.

다음 문장을 3번 쓰고, 소리 내어 읽어 보세요.

All or nothing.

모 아니면 도.

①

②

③

꿀팁! All or nothing.뿐 아니라 대화 중 I'm all in.이라는 표현도 같은 맥락에서 쓰여요.
모든 걸 걸었다는 각오를 나타내는 대표적인 표현입니다.
좀 더 강렬한 표현도 있어요.
Life or death. 사활을 걸다.

Grammar be supposed to ~하기로 되어 있다

예문으로 좀 더 자세히 살펴볼까요?

* You **were supposed to** be here before dinner. 당신은 저녁식사 전에 여기 왔어야죠.

* You **are supposed to** know that. 당신은 그걸 알아야죠.

그럼, 오늘 대화 속의 It's supposed to be funny. 직역하면 "그건 웃겨야 하는 건데…"라는 뜻인데, "웃기려고 한 말인데…"라고 자연스럽게 해석이 가능합니다.

30 차였어.

월 일 요일

애정전선에 위기는 늘 오기 마련이죠.
사귐이 있으면 헤어짐도 있는 것이겠죠. 위기를 잘 극복하는 방법을 배우면서, 우리는 보다 성숙해지고 현명해진다는 것을 잘 압니다. 하지만 사랑하는 연인에게서 헤어지자는 말을 들으면 너무도 상심이 크겠죠.
'차였다'는 말은 영어로 어떻게 말할까요?

오늘의 문장을 어떻게 말할지, 나만의 영어로 먼저 적어보세요.

If it were me, I would say :

다음 두 사람의 대화를 듣고, 어떤 상황인지 문제를 풀며 추측해 보세요.

대화

A What's the matter with you? You've been quiet today.

B It's nothing. I guess it's just because the usual work stress.

A Come on, We've been friends for 10 years. Just spill it.

B Alright, alright. Actually, I got dumped last night.

A Did you guys have a serious argument?

B Yeah, we did. Then she dumped me after all.

A Oh, that's too rough. Cheer up...

01. A와 B는 어떤 관계인가요?

① close friends

② family

③ competitor

02. 대화를 통해 알 수 있는 내용을 고르세요.

① A는 B와 오랜 친구관계이다.

② A는 B에게 마음이 상했다.

③ B는 여자친구와 화해할 것이다.

03. A가 말한 What's the matter with you?대신에 쓸 수 있는 말을 고르세요.

① What are you up to?

② What's the occasion?

③ What's the news?

오늘의 필수 어휘 및 표현을 확인해 보세요.

- quiet: 조용한
- spill : 쏟다, 유출하다
- dump : 버리다
- argument : 논쟁, 말다툼
- rough : 거친, 힘든

필수 어휘와 표현을 이용하여, 우리말에 맞게 영어 문장을 완성해 보세요.

01. You've ________ ________ today.

너 오늘 종일 조용하다.

02. Did you guys ________ a serious ________?

너희들 심각하게 다툰거야?

03. She ________ me ________ ________.

결국 그녀가 날 찼어.

다음 문장을 3번 쓰고, 소리 내어 읽어 보세요.

I got dumped.

차였어.

①

②

③

꿀팁! 연인과 헤어졌다는 말로 자주 언급되는 표현으로 break up with라는 게 있어요.

- I **broke up with** my boyfriend/girlfriend. 나 남차친구/여자친구랑 헤어졌어요.

또한 오늘 대화 중에 dump라는 동사를 활용한 문장이 있었습니다.
"차였다"는 의미로 쓰입니다.

- I got **dumped**. 나 차였어.
- She **dumped** me after all. 그녀가 날 찼어.

Useful Expressions **10년 지기 친구**

We've been friends for 10 years.의 의미가 뭐였죠?
대화 흐름상, "우린 10년 지기 친구다."라는 뜻이었죠.
연인과 10년간 사귀고 있다는 것은 어떻게 표현할까요?
* We've been together for 10 years.
We've been in a relationship for 10 years.
이렇게 중간에 살짝 추가해 주면 완성됩니다!

쉬어가기

Ⓐ What is dangerous?

Ⓑ Sneezing while having diarrhea is absolutely dangerous.

Ⓐ 무엇이 위험한가요?

Ⓑ 설사 중에 재채기하는 건 절대적으로 위험해요.

정답 / 해설

21 내 손바닥 안이야.

대화

A : 뭐 하는 중이야?

B : 그냥 최신 뉴스 좀 보고 있어.

A : 내 폰으로?

B : 그게... 네 폰이 가까이 있어서.

A : 음, 너 뭐 하는지 다 알고 있어.

B : 아니야, 그냥 헤드라인이 궁금했을 뿐이야.

A : 알겠어. 하지만 다음에는 내 폰 만지기 전에 물어봐.

01 With my phone? 내 폰으로?라는 말이 힌트가 되어 ①이 정답이다.

02 be up to는 "꿍꿍이가 있다"라는 의미이므로, A는 B의 속셈을 안다는 말이다.

03 잘 알아듣겠다는 말이다.

정답 p9 01 ① 02 ② 03 ③

p10 01 checking out 02 close 03 curious about

22 갈 길이 멀다.

대화

A : 요즘 뭔가 정체된 느낌이야.

B : 맞아. 나도 요즘 내 커리어에 대해 많이 생각하고 있어.

A : 목표에서 멀어진 느낌이야.

B : 맞아. 나도 진전이 없는 것 같아.

A : 그렇지? 그래도 계속 밀고 나가야 하는 거겠지.

B : 갈 길이 멀지.

A : 결국 우리는 해낼 거라고 믿어.

01 A와 B는 career에 대해 공통의 생각을 가지고 있는 상황이다.

02 I feel like I'm stuck in a rut. 쳇바퀴 돌 듯 갑갑함을 느끼다는 의미의 문장이고 A의 마지막 말에서 I believe we'll get there after all. 이라고 했으므로, 서로 격려하며 목표에 이르겠다는 의지가 보인다.

03 career에 대해 생각이 많아진다는 말로 B가 대화를 시작하였다.

정답 p13 01 ③ 02 ① 03 ①

p14 01 feel stuck 02 miles away 03 after all

23 졸음을 참을 수 없어.

대화

A : 너 지쳐 보인다. 괜찮아?

B : 어젯밤에 늦게까지 일했어.

A : 잠은 좀 잤어?

B : 거의 못 잤어. 할 일이 너무 많아.

A : 힘들겠다. 하지만 자기 관리는 중요해.

B : 맞아. 지금은 눈을 뜨고 있을 수가 없어.

A : 이해해. 하지만 너무 무리하지 마.

01 A가 You look exhausted.라고 했고, B가 밤을 새웠다는 이야기에 이어, I can't keep my eyes open.이라고 했기 때문에 졸린 상황이다.

02 A가 B의 일을 도와준 것은 아니다.

03 burn the midnight oil last night는 "밤을 새우다"라는 의미이므로 stay up all night이 가장 적절하다. ②, ③ 숙면하다

정답 p17 01 ② 02 ② 03 ①

p18 01 exhausted 02 burn | midnight 03 push hard

24 제 짐 좀 봐주세요.

대화

A : 저기요. 여기 계실 건가요?

B : 네. 뭐 도와드릴까요?

A : 고마워요. 제 가방 좀 봐주세요. 화장실 좀 다녀올게요.

B : 네, 그러세요.

A : (돌아와서) 봐줘서 고마워요.

B : 천만에요.

A : 커피 한 잔 살게요. 어떤 커피 좋아하세요?

01 A가 한 말 중에, Can you keep an eye on my bag while I go to the restroom?을 보아 화장실을 다녀올 동안 짐 좀 봐달라는 문장이 있다. restroom과 toilet은 같은 의미이다.

02 A가 Excuse me, can I ask you a favor? 하면서 처음 보는 사이이나 부탁하는 말을 했다는 걸 알 수 있다.

03 A가 화장실 다녀오는 동안 bag을 봐달라고 했다.

정답 p21 01 ③ 02 ① 03 ③

p22 01 help | with 02 keep | eye 03 kind of

25 너무 바빴어.

대화

A : 에밀리, 오늘 하루 어땠어?

B : 너무 바빴어. 하루 종일 뛰어다녔어.

A : 나도 이해해. 가끔은 나도 두 명이었으면 좋겠어.

B : 그러니까.

A : 그래도 거의 끝나가네.

B : 퇴근 후에 멋진 레스토랑에서 저녁 먹는 건 어때?

A : 아주 좋은 생각이야.

01 It's been a hectic day.를 통해 매우 바빴다는 걸 알 수 있다.

02 몸이 두 개였으면 좋겠다는 말이다.

03 relate to는 "공감하다"는 의미로, B가 바빠서 종일 뛰어다녔다는 말에 이어 I can relate to it.이라고 했으니 ②가 정답이다.

정답 p25 01 ① 02 ② 03 ②

p26 01 hectic day 02 running around 03 At least

26 퇴근합시다.

대화

A : 프로젝트에서 꽤 진전이 있었던 것 같아.

B : 맞아, 확실히. 이제 좀 지친다.

A : 동의해. 오늘은 여기까지 하자.

B : 그래, 이제 중요한 부분은 다 다뤘어.

A : 맞아. 나머지는 내일 하자.

B : 좋은 계획이야.

A : 오늘 수고 많았어. 내일 봐.

01 good progress on the project 프로젝트에서 좋은 진전을 만든 관계라면 함께 일하는 동료일 가능성이 크다. 또한 Let's call it a day. 퇴근합시다.라고도 했다.

02 cover : 다루다 / crucial points : 중요한 점들[부분들]

03 sounds like a plan 계획같이 들린다는 말은 곧, 좋은 아이디어라는 말이니 ③과는 관련 없다.

정답 p29 01 ② 02 ① 03 ③

p30 01 progress | project 02 covered | crucial 03 rest of

27 그는 입이 짧아.

대화

A : 어젯밤 저녁식사 때 로라가 얼마나 조금 먹었는지 봤어?

B : 응, 거의 손도 안 댔더라.

A : 소식하더라고.

B : 아마 입맛이 까다로운가 봐.

A : 잘 모르겠어. 다이어트 중일지도 몰라.

B : 아, 그럴 거야. 지난번에 그렇게 말했었어.

A : 식욕을 참는 게 분명 힘들거야.

01 A가 지난밤 로라가 소식한 것에 대해 이야기를 시작했고, Maybe she's on a diet.라고 말한 것에 이어 B가 She said that last time.이라고 답했으므로 ③이 가장 적절한 답이다.

02 A와 B는 로라가 소식한 것을 상기하며 대화하고 있으니, 어제 A, B, 로라가 함께 저녁을 먹은 걸 알 수 있다.

03 picky : 까다로운 / picky eater : 편식가

정답 p33 01 ③ 02 ② 03 ①

p34 01 ate little 02 barely plate 03 hard appetite

28 원 플러스 원

대화

A : 좋은 아침이에요. 오늘 카페인이 더 필요해요.

B : 잘 지내시죠? 카페인이 평소보다 더 필요하세요?

A : 사실, 오늘 중요한 회의가 있어서요.

B : 오늘 우리 시그니처 라떼 1+1 행사가 있어요.

A : 그거 좋네요! 아이스 라떼 두 잔 주세요.

B : 좋은 선택이에요. 금방 만들어 드릴게요.

A : 덕분에 오늘 아침 기분이 좋네요.

01 our BOGO deal, I'll have two iced lattes.와 같은 표현을 통해 주문하는 상황임을 짐작할 수 있다. 따라서 카페가 정답이다.

02 A가 I have an important meeting today.라고 했으므로 ①이 정답이다.

03 BOGO : Buy One Get One (free)

정답 p37 01 ③ 02 ① 03 ②

p38 01 amount caffeine 02 more usual 03 BOGO signature

29 모 아니면 도

대화

A : 에밀리아, 그 일자리 제안 고민 중이라고 들었어.

B : 응, 솔직히 좋은 기회야.

A : 그런데 왜 망설여?

B : 음... 다른 곳에서 더 좋은 제안이 올까봐?

A : 음, 상상은 자유니까.

B : 아, 농담이야. 그냥 해본 말이야. 난 전부를 걸었어.

A : 그렇지? 모 아니면 도야. 망설이지 말고 기회를 잡아.

01 첫 문장에 job offer이 언급되었고, What if better offer comes from somewhere else?라고 하였으므로 일자리에 관한 대화이다.

02 A가 I heard you're considering taking that job offer.이라고 한 말과, What are you hesitating about?라고 한 것을 보아 B(Amelia)가 뭔가 주저하고 있다는 느낌을 받았음을 알 수 있다.
이어서 B(Amelia)는 다른 곳에서 더 좋은 제안이 오면 어쩌냐고 말하긴 했으나 It's supposed to be funny.라고 했으니 진심은 아니라는 걸 알 수 있다.

03 It's supposed to be funny. 직역하면 웃겨야 했다는 말이니 웃기려고 한 말이다.

정답 p41 01 ② 02 ① 03 ①
p42 01 considering | offer 02 To be honest
03 Grab | chance [opportunity]

30 차였어.

대화

A : 무슨 일이야? 오늘 조용하네.

B : 별거 아니야. 그냥 평소 일 스트레스 때문인 것 같아.

A : 야, 10년 친구잖아. 말해봐.

B : 알았어, 알았어. 사실 어젯밤에 차였어.

A : 심하게 다퉜어?

B : 응, 심하게 다퉜어. 결국 그녀가 날 찼지.

A : 아, 너무 안됐다. 힘내.

01 We've been friends for 10 years.가 큰 힌트가 된다.

02 We've been friends for 10 years. 10년 정도 된 친한 친구사이였음을 알 수 있다.

03 무슨 일이냐는 말로 What's the occasion?도 좋은 표현이다.

정답 p45 01 ① 02 ① 03 ②
p46 01 been | quiet 02 have | argument 03 dumped | after | all

MEMO

333 영어 LEVEL2_3

초판 1쇄 인쇄 2024년 11월 25일
초판 1쇄 발행 2024년 12월 9일

지은이 조정현
발행인 임충배
홍보/마케팅 양경자
편집 김인숙, 왕혜영
디자인 이경자, 김혜원
펴낸곳 도서출판 삼육오(PUB.365)
제작 (주)피앤엠123

출판신고 2014년 4월 3일
등록번호 제406-2014-000035호

경기도 파주시 산남로 183-25
TEL 031-946-3196 / FAX 050-4244-9979
홈페이지 www.pub365.co.kr

ISBN 979-11-92431-81-9(14740)